La Petite Sirène

Il était une fois une jeune sirène du nom de Coraline. Elle vivait dans un magnifique palace sous-marin, en compagnie de son père, le roi des Océans.

Coraline possédait une voix cristalline et toutes les créatures de la mer aimaient l'entendre chanter.

Le jour de ses quinze ans, Coraline eut la permission de nager jusqu'à la surface des eaux pour voir le ciel et le soleil. Jamais elle ne s'était sentie si heureuse. Soudain, elle aperçut un navire au large.

Le navire s'approchait et Coraline pouvait entendre les marins souhaiter un joyeux anniversaire à leur capitaine, un prince très séduisant. Ce soir-là, on célébra une grande fête à bord et personne ne se rendit compte qu'une tempête se soulevait.

Des vagues déferlèrent sur le navire et plusieurs furent jetés à la mer. La sirène sauva le prince qui coulait à pic. Elle le hala jusqu'à la plage, où il resta étendu, inconscient. En le couvrant de sa chevelure, elle lui chanta une douce berceuse.

C’est alors qu’une jolie jeune femme arriva sur la plage.

Coraline se cacha vite. Lorsque le prince ouvrit les yeux, la voix de la sirène résonnait encore dans son oreille. Il crut que cette jolie femme venait de lui sauver la vie et il s'éprit d'elle sur-le-champ.

—Ce n'est pas moi qui vous ai soustrait au danger, lui dit la jeune femme, mais je suis très heureuse de vous avoir trouvé.
Coraline rentra chez elle le cœur gros, car elle était tombée amoureuse du prince. Elle craignait de ne jamais plus le revoir. Puis soudain, elle eut une idée.

La petite sirène se rendit chez la sorcière de l'océan qui jubilait de la voir arriver.
– Si tu veux devenir un être humain pour toujours, tu devras sacrifier ta voix, expliqua la sorcière.

Coraline acquiesça d'un signe de tête et empoigna la fiole de liquide noir que lui tendait la sorcière. La sirène nagea jusqu'à la plage où elle but la potion magique. Le prince qui marchait au bord de la mer trouva bientôt la jeune fille.

Le beau prince invita Coraline à rester chez lui aussi longtemps qu'elle le souhaitait. Il était très gentil envers cette étrange fille qui ne pouvait parler. Il la traitait comme si elle était sa petite sœur, car son cœur était ailleurs.

Un jour, la jolie femme qui avait trouvé le prince sur la plage vint lui rendre visite. Coraline comprit que les jeunes gens étaient très amoureux. Elle en eut le cœur brisé.

Coraline prit la mer à bord d'une barque. Elle alla trouver ses sœurs.

– Petite sœur, nous pouvons te sauver ! dirent-elles. Prends cette dague magique : si tu poignardes le prince avant l'aube, tu redeviendras une sirène. Dépêche-toi ! Il sera cette nuit sur son nouveau navire.

À l'aube, Coraline monta à bord du navire, mais elle ne put se résigner à tuer le prince. Elle jeta alors son arme par-dessus bord. Tout à coup, elle se sentit soulevée dans les airs. Elle venait de devenir une fée des airs et elle allait désormais venir en aide à tous ceux qui ont bon cœur.